為什麼會有國際衝突？

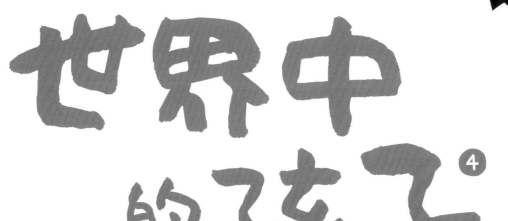

世界中
的孩子④

文 路易絲‧史比爾斯布里
Louise Spilsbury

圖 漢娜尼‧凱
Hanane Kai

譯 郭恩惠

目錄

世界上的人分別屬於各種
不同團體，每個人有自己的
家庭、在不同的學校就讀，
有些人同時是某個社團或團
隊的一員，還來自不同的國
家，有各自信奉的宗教。多
數時候，不同的團體都能和
睦相處。

4

不過人與人不一定總是合得來，有時候會發生衝突、爭吵，甚至可能彼此傷害。當我們看到世界各地衝突事件的消息時，通常會很難過、生氣又害怕。這本書要告訴你為什麼會有這樣的事情發生。

當人與人發生爭論時，通常能很快處理問題，但是當一群人或有些國家無法藉著討論解決問題時，就形成了衝突，對立的兩方就會開始爭鬥。另外，當一個團體或國家企圖掠奪他國土地時，也會爆發衝突。或者是，當人們想要制止他人傷害或用不好的方式對待別人時，也會發生爭執。

　　有些人認為每個人的生活方式都應該和自己一樣，　他們可能會試圖要別人跟自己擁有相同的宗教信仰和習俗。　如果他們企圖強迫別人照著自己的規則做事，　也會引起衝突和暴力事件。

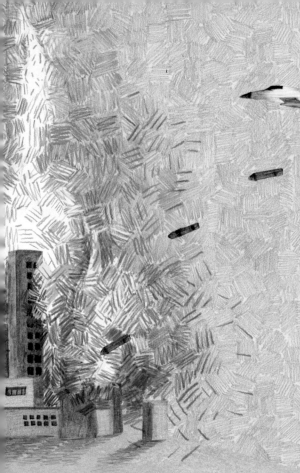

　　當發生衝突的各個團體以武力相互鬥爭，就啟動了戰爭，直到一方投降或戰敗，戰爭才會結束。有時候，如果雙方有機會把問題提出來討論，就不必再持續爭戰。在戰爭時，領導人會決定與敵人對戰的時間、地點和方式，士兵則會使用武器和炸彈攻打對方。而敵對的兩方中，沒有參與戰爭的人叫做「平民」。

多數人都認為戰爭是不好的。 他們相信用討論、協商的方式來處理問題比較好。 但是有時候， 人們認為戰爭是唯一能阻止壞事發生的方法， 所以選擇加入戰爭。 而士兵之所以參戰， 也是為了保護他們所關心的人、 事、 物。

　　「恐怖主義」是一種以暴力手段引起關注，以求達成自己的主張及目的的行為。實行恐怖主義的恐怖分子，會在一些公共場所埋設炸彈並引爆，像是機場或火車站。另外，有些宗教團體會因為覺得受到不合理的對待，或因為與他人的信仰主張不合，就發動恐怖攻擊。這些恐怖分子希望藉由恐嚇群眾，讓世界各國領袖屈服於他們的要求。

　　不過，記住一件事，你或你所愛的人被恐怖分子傷害的機率非常、非常小。

　　在戰爭及恐怖攻擊中，對立、衝突的雙方可能會有人受傷或喪命，住家及財物也會遭到破壞，而人們工作、讀書或敬拜神的場所也可能會被燒毀。

　　有時候，為了躲避暴力與攻擊，大家還得逃離自己的家園，希望能找到更安全的地方居住，過更好的生活。這些因為生活面臨危險，被迫離開自己國家的人，我們稱為「難民」。

一旦發生戰爭衝突，人們的生活就完全變樣了。他們必須找尋新的住所，修復道路、橋梁和建築物。被迫離開自己國家的難民，得到陌生的國家生活、工作、交新朋友，還經常得學習新的語言。就算衝突過後，人們可能還是會擔心受怕好一陣子。

想像一下，如果有一天，你無法去上學了，學校被破壞，孩子們失去可以一起上課、一起玩耍的機會，老師也可能得到奇怪的地方為大家上課，直到新的學校興建完成。你覺得如何？

$$\int_0$$

$$\Delta = (d + d^*)$$

3.141572653.5

$$\mathrm{Index}\,(D) = c$$

慈善組織可以幫助這群受害者。他們會提供乾淨的水、食物、毛毯和帳棚給無家可歸的人，安慰沮喪不安的人，還會派遣醫師、護士並提供藥品給受傷的人。

16

政府和慈善工作者也會幫助大家恢復正常生活。 他們協助難民找到住的地方， 出錢購買建造新建築物及修電纜所需的材料， 並提供工具與機器， 讓人們可以重新開始工作。

制定規則可以保障人們的安全。 例如，學校裡有些規定，可以防止有人受到欺負或霸凌。 關於戰爭，這個世界也制定了一些規則，以保護孩子、平民、受傷的士兵、醫院和敬拜神的地方。

戰爭時，多數人會遵守這些規定。如果有人沒遵守，就會受到懲罰，也可能因此而坐牢；如果有一個國家違反了戰爭法，其他國家可能就不會再跟這個國家進行交易及買賣，這樣或許能讓這個國家重新遵守法律。

和別人發生爭執時，如果你能自己解決當然很好，但是有時候，你可能需要大人的協助。世界各國發生衝突時，也會有人從中協調。聯合國就是這樣的組織，是由許多國家共同組成，一起努力終止戰爭、保護平民。

　　聯合國及各國領袖會努力讓對戰的雙方和平對談。他們會協助各團體找到公平的方式處理問題，而不用彼此傷害或傷害到其他人。他們用討論的方式解決問題，而不是用武器。

人與人之間有時候會意見不合，這是很正常的，重要的是不要讓吵架變成打架、爭論演變成爭鬥。如果人們都能保持冷靜，禮貌、友善的說出各自的想法，對事情比較有幫助。如果互相叫罵、說惡劣的話，雙方都可能變得更激動。

每個人能用心聽對方說話，就能更了解彼此的感受，也更能相互協調、妥協。有捨才有得，彼此各退一步，才能共進一步。就像運動時，常常是兩隊同意共用一個場地，而不是爭奪同一個場地。

23

避免衝突的最佳方式，就是增進對彼此的了解。人與人之間有許多方面是一樣的。我們都需要家、食物、水、家人和朋友，都該過安全的生活，也有權利選擇自己的信仰。了解他人能幫助我們學會彼此尊重、和平共處。

當我們看到有人受到傷害，一定會覺得很生氣。但是如果某個團體中有少數人做錯事，也不能因此責怪整群人。就像是如果你的學校裡有個學生偷了電腦，就說校內所有學生都是小偷，這樣是不對的吧？

認識並關心世界各地的衝突事件非常重要，但如果過度擔心這些事就不好了。如果你覺得擔憂與不安，可以跟你信任的大人聊聊你的感受。你也可以想想世界上其他美好的事物，做一些會讓你開心的事情，例如跟朋友玩，這樣會讓你心情好一些。

多數人都很有愛心，也很友善。新聞中會看到戰亂衝突的消息，主要是因為這些事不常發生，一旦發生就會引起注意。所以記得，不用擔心你和你的家人會有生命危險，有很多聰明的人正努力終止戰爭和恐怖主義，期望讓這世界成為所有人都能更安心生活的地方。

助人為快樂之本，有很多事情你也可以做。你可以把食物或衣服捐贈給難民，也可以義賣蛋糕或是舉辦表演，為慈善組織募款，幫助處於衝突中的人。或者，也可以寫信給政府，請他們提供援助。想想看，你還可以做什麼？

學一學本書中的相關用詞

妥協 compromise

對立的雙方
彼此退讓
某些事情，
以達成協議。

平民 civilian

普通人民，
沒有參與戰爭
的人。

難民 refugee

為了逃難而
離開自己國
家到國外避
難的人。

宗教 religion

對神的信仰，
例如伊斯蘭教
或基督教。

政府 government

統治國家並為
國家作政策的
政治組織。

習俗 custom

某個地區
的人經常
一起做的事。

尊重 respect

重視他人的感受及意見。

衝突 conflict

運用暴力手段脅迫他人屈服的行為。

慈善組織 charity

從事救濟的團體，幫助需要的人。

聯合國 United Nations

由許多國家組成的國際組織，共同致力於實現世界和平及安全、防止並終止戰爭。

敬拜 worship

以禱告、做禮拜等行為對神表示尊敬。

恐怖分子 terrorist

使用炸彈或其他暴力手段脅迫他人的人。

本系列與中小學國際教育能力指標對應表

本系列扣合「中小學國際教育能力指標」之學習目標，期待透過這套書的文字及圖畫，孩子、家長及教師能一同探討世界上發生的重大議題，進而引發孩子關懷的心，讓他們在往後的人生道路中，能夠時時關心這個世界並付出己力。

備註：表格中以色塊代表哪一繪本，並於其中標註頁數

【為什麼會有貧窮與飢餓？】　【為什麼會有難民與移民？】　【為什麼會有種族歧視與偏見？】　【為什麼會有國際衝突？】

中小學國際教育能力指標（基礎能力）

目標層面	能力指標編碼與學習內容	本系列相應內容
國際素養	2-1-1 認識全球重要議題	貧窮與飢餓 P4-17　難民與移民 P4-19 種族歧視 P6-7　偏見與不寬容 P8-11 國際衝突 P4-15
全球責任感	4-1-2 瞭解並體會國際弱勢者的現象與處境	貧窮與飢餓的處境 P6-17 難民與移民的現況 P4-19 偏見的影響 P12-17 國際衝突的後果 P12-15

中小學國際教育能力指標（中階能力）

目標層面	能力指標編碼與學習內容	本系列相應內容
國際素養	2-2-2 尊重與欣賞世界不同文化的價值	尊重不同點 P22-23
全球競合力	3-2-3 察覺偏見與歧視對全球競合之影響	偏見對全球競合力的影響 P12-17 衝突對全球競合力的影響 P12-17
全球責任感	4-2-2 尊重與維護不同文化群體的人權與尊嚴	人權與尊嚴的維護 P20-25　P18-25 P16-25

中小學國際教育能力指標（高階能力）

目標層面	能力指標編碼與學習內容	本系列相應內容
國際素養	2-3-1 具備探究全球議題之關連性的能力	全球議題的連動性 P4-17　P4-19 P4-17　P4-15
全球責任感	4-3-1 辨識維護世界和平與國際正義的方法	安全與和平的維護 P18-25　P20-25 P18-21　P4-15

（◐◑ 知識繪本館）

為什麼會有國際衝突？
世界中的孩子④

作者｜路易絲・史比爾斯布里 Louise Spilsbury
繪者｜漢娜尼・凱 Hanane Kai
譯者｜郭恩惠
責任編輯｜張玉蓉
特約編輯｜洪翠薇
美術設計｜蕭雅慧
行銷企劃｜陳詩茵、劉盈萱

天下雜誌群創辦人｜殷允芃
董事長兼執行長｜何琦瑜
媒體暨產品事業群
總經理｜游玉雪
副總經理｜林彥傑
總編輯｜林欣靜
行銷總監｜林育菁
主編｜楊琇珊
版權主任｜何晨瑋、黃微真

出版者｜親子天下股份有限公司
地址｜台北市104建國北路一段96號4樓
電話｜（02）2509-2800　傳真｜（02）2509-2462
網址｜www.parenting.com.tw
讀者服務專線｜（02）2662-0332　週一～週五 09:00~17:30
讀者服務傳真｜（02）2662-6048
客服信箱｜parenting@cw.com.tw
法律顧問｜台英國際商務法律事務所・羅明通律師
製版印刷｜中原造像股份有限公司
總經銷｜大和圖書有限公司　電話：（02）8990-2588

出版日期｜2018年4月第一版第一次印行
　　　　　2024年4月第一版第十六次印行
定價｜300元
書號｜BKKKC091P
ISBN｜978-957-9095-56-3（精裝）

訂購服務
親子天下Shopping｜shopping.parenting.com.tw
海外・大量訂購｜parenting@cw.com.tw
書香花園｜台北市建國北路二段6巷11號　電話｜（02）2506-1635
劃撥帳號｜50331356 親子天下股份有限公司

立即購買 >